하랑의 시리즈 낙서

하랑(harang) 지음

하랑의 시리즈 낙서

발 행 | 2024년 07월 10일
저 자 | 하랑(harang)
펴낸이 | 한건희
펴낸곳 | 주식회사 부크크
출판사등록 | 2014.07.15.(제2014-16호)
주 소 | 서울특별시 금천구 가산디지털1로 119 SK트윈타워 A동 305호
전 화 | 1670-8316
이메일 | info@bookk.co.kr

ISBN | 979-11-410-9433-1

www.bookk.co.kr
ⓒ 하랑 2024

하랑의 시리즈 낙서

하랑(harang) 지음

Part 1 여인 시리즈

Part 2 음식 시리즈

Part 3 상황 시리즈

Part 4 선택 시리즈

Part 5 여자 이해하기 시리즈

Part 1 여인 시리즈

여인 시리즈 ✔하나

매일 나에게
올바른 길을 갈 수 있도록
나를 이끌어 주는 그녀

난 늘 받기만 하고
대답 한번 잘해주지도 못했다

그런데도 싫은 내색
화를 한번 내지도 않는다

다가가려 하다가도
혹시나 하는 생각에 주춤하게 된다

내가 그녀의 몸을 터치하는 순간
그녀는 사라진다

나에게
이런 말을 남긴 채

✔ 길 안내를 종료합니다 (내비게이션 그녀)

여인 시리즈 ✔둘

밝은 목소리
정확한 발음
한 치 오차도 허용하지 않는
성격이 느껴지는 그녀

그 누구에게도
차별을 두지 않는 따스함

그러나
둘만이 남게 되면
무거운 침묵만이 가득 차고

그런 분위기가 싫어

나는 눈을 어디에다 둘지 몰라
발끝만 내려다본다

어제도, 오늘도
그녀는 말없이 돌아서는
나를 향해
이렇게 말을 걸어온다

✔ 문이 닫힙니다 (엘리베이터 그녀)

여인 시리즈 ✔셋

항상 곁에 다가가도
그녀는 절대
내게 먼저 따뜻하게 말을 건네주지 않는다
그런 그녀가
나를 더욱 애타게 만든다

용기를 내어
그녀에게 손길을 건네주면

그녀 또한 그제야 말을 건네온다

하지만 과욕에
과감히 접근하면

그녀는 강하게 나를 거부하는 몸짓을 한다

한 발짝 뒤로 물러선 후
다시 한번 그녀에게
부드럽게 나의 손길을 전해본다
그리고 기다린다

그녀는
나에게 답을 한다

✔ 환승입니다 (지하철 개찰구 그녀)

여인 시리즈 ✔넷

그녀가 달리기 시작한다
말조차 걸어볼 여유도 없이

마음속은 타들어 가고 있다
눈길 한번 주지 않는다

나 혼자만의 떨려옴에
곁눈질로 자꾸 쳐다보게 된다

어둠 속 화려한 네온 등을 뒤로한 채
그녀는 쉼 없이 달려간다

갑자기 멈추었다

그제야 정신이 맑아 옴에

나는
그 순간을 놓칠 수 없었다

그리고
조심히 말을 건넸다

✔ 영수증 주세요
(지금은 사라진 택시 미터기 달리는 말 그녀)

여인 시리즈 ✔다섯

드디어
나에게도 새로운 여인이
눈에 들어오기 시작했다

글래머다운 몸매
선명한 피부
갓 태어난 듯한 신선함까지
유독 그녀들 사이에서 눈에 띈다

항상
그녀 곁을 지나쳐 다니면서도
쉽게 접근하기가 껄끄럽다

한 달에 한두 번 얼굴을 비추고
서로의 안부를 묻곤 하지만

직업상 월말엔
너무도 바쁜 모습에
곁에 다가가 보지도 못한 채 돌아서곤 하였다

그런데
그녀는 이상하리만큼
나의 신상 정보에만 관심을 보인다

이유를 물어보기 위해
오늘은 당당히 그녀 앞에 다가갔다

그때 그녀가
날 보며 이렇게 또박또박
말을 건네온다

✔ 카드나 통장을 넣어주십시오
(새로 설치된 CD기 그녀)

여인 시리즈 ✔여섯

그녀와
목소리만으로 인연을 맺어온 지도
꽤 많은 시간이 흘렀다

낭랑하고 상큼하게 들려오는
그녀의 목소리를 들을 때마다
상상 속으로 그녀의 모습을 그리곤 했다

언제나
그녀 앞에서만큼은
항상 멋지고 당당한 모습이 되고 싶어

수없이 반복되는
이미지 트레이닝을 하고
고정된 시선으로
반듯하고 깨끗한 자세를 연습하곤 했다

또한
그녀와 헤어지는 순간만큼은
멋진 남자의 모습으로
뒤돌아서서 내려오고 싶었지만

그녀 앞에만 서는 순간
여지없이 무너져 버리는
나 자신에 수없이 아쉬워하곤 했었다

그럴 때마다
그녀는 보이지 않는 어디에선가
이렇게 나에게 외치곤 하였다

✔ 보~~올~~~OB (스크린골프의 그녀)

여인 시리즈 ✔일곱

항상
홍조 띤 수줍은 표정과
발그레한 볼 터치로
필요한 자기 말만 하던 그녀

나는
그녀를 어딜 가든
자주 보고 지나치곤 했지만

단 한 번도
그녀의 눈과 마주치지 못하는
아쉬움 속에 그녀를 지나치곤 하였다

가끔은
그녀는 무슨 생각을 하며
묵묵히 자기 일을 하고 있는지
궁금하기도 하였지만

말을 건네기에는
그녀는 나보다도 항상
높은 위치에 서 있었다

가끔은
술에 잔뜩 취한 이들의
고뇌와 논리 없는 중얼거림을
싫은 내색 없이 받아주기도 하는
그녀

오늘도
변함없는 상냥한 어투로
그녀는 말하고 있다

✔ 파란불입니다 (횡단보도의 그녀)

여인 시리즈 ✔여덟

어떤 이들은
그녀가 너무 차도녀 같다며
싫어하는 사람들도 많다
그러나
나는 그녀의 입장을 이해한다

가끔
그녀의 잘못도 아닌 것에
본인의 화를 참지 못해
욕을 하는 사람들이 미워질 때도 있었다

그녀도
분명 그렇게 차가운 여자는 아닌 것 같다

그녀의
목소리에는 편안함과 안쓰러움이
묻어나기 때문이다
그녀는
어쩌면 만인의 여인인 것 같다

아마도
그녀와 한 번 이상은
분명 말을 건네본 적이 있을 것이다
요즘은
그녀를 만난 지 오래됐다

그녀가
늘 하던 말이 그립다

✔ 전화를 받을 수 없으니 삐 소리 후 메시지를
남겨주세요 (수화기 속의 그녀)

여인 시리즈 ✔아홉

길을 걷다 보면
많은 사람이 있음에도 불구하고

그녀는
이유 없는 폭력에 휘둘리고 있었다

그 누구도
말리기는커녕 깔깔거리며 웃고 있었다

맞으면서도
그녀는 외마디 비명만 지를 뿐
도와달라고 단 한 번도 외치지 않았다

남녀노소를
가리지 않는 폭력에도
그녀는 낭랑한 목소리로

또
이렇게 외치고 있다

✔ 두더지 잡고 가세요 (두더지 게임 속의 그녀)

여인 시리즈 ✔열

외관은 듬직한 모습에
남자일 것 같아도
섬세한 글씨체와 부드러운 어순을 보면
여자가 맞는 것 같다

어찌 됐든
그녀의 앞에 서면
나의 모습을 다 내어 보여야 한다

삶의 때가 잔뜩 끼어 있는 모습도
불빛에 반짝이듯 번지르르한 모습도

그는

그곳에서 항상
나의 아쉬움을 알고 있듯이
소리 없이 묻는다

나도
모르게 그의 요청대로 따라가다 보면
카드 지출로 출혈이 심해진다

그는
자신의 정체를
오늘도 꼭꼭 숨겨놓은 채

마지막으로
조용히 글로써 표현한다

✔ 주유가 끝났습니다 안녕히 가십시오
(주유소의 그녀)

Part 2 음식 시리즈

음식 시리즈 ✗하나

어릴 적 나는
아이 어른 모든 이들에게
귀여움을 많이 받으며 자랐습니다

하지만
유난히 빠른 성장에 의해서
그 사랑은 오래가지 못하더군요

오히려
어느 순간부터는
저를 바라보는 시선에서
왠지 두려움을 느끼게 되었습니다

저는
여름을 좋아하지 않습니다

사람들은
비키니에 자신의 몸매를
자랑하고 관심받고 싶어 하겠지만

저는
그러고 싶지 않았습니다

언젠가는
저 또한 뜨끈뜨끈한
저만의 개인 온탕에서

멋지게
다리를 꼬고 하늘을 보면서
온천욕을 즐기게 될 날도
멀지 않은 것 같습니다

그때가

오지 않기만을 바라보지만
세월은 참 빠르게 지나갑니다

저의 희생이
많은 분의 건강에 도움이 되기를
진심으로 바라봅니다

✘ 저는 삼계탕입니다
(일용할 양식을 주신 수많은 영계를 추모하며)

음식 시리즈 ✗ 둘

저는요
누구보다도 피부는 탱글탱글하고
아무리 먹어도
날씬함을 유지하는 체질입니다

어떨 때는
톡 쏘는 매콤함처럼
도도해 보이기도 하고요

때로는
잇몸이 시리도록
차가움을 느낄 정도로

상큼하다는 이야기도 많이 듣고 있습니다

물론
뜨거운 태양볕에
구릿빛으로 피부가 타들어 가려고 하는
여름철에는

그 누구도
저의 인기를 따라오기가
절대 쉽지 않을 겁니다

저를 좋아하시는 많은 분들이
이를 악물고
저와의 인연의 끈을 잘라내 보려 하지만

제가 생각보다
질긴 인연의 끈이라 그런지
많은 분이
숨이 차올라야 만 포기 하고
타인에게 도움을 청하는 경우가 많습니다

그런데
가끔 저를 사칭하며
많은 분을 헷갈리게 하는
사이비 아이들이 있는 것 같습니다

분명히 말하지만
저는 저만의 매력이 분명히 있다는 걸
꼭 기억해 주시길 바랍니다

제가 누구냐고요?

✘ 저는요 냉면입니다
(전국의 수많은 원조 냉면집이 그리워집니다)

음식 시리즈 ✗ 셋

나를 쉽게 보고
섣불리 대들었다가
입천장 다 부르튼 사람들 참 많아

내가
항상 뜨거운 심장을 가지고 있다는 걸
잠시 잊고 대들다간 후회만 하게 되지

물론
나의 피부가
우윳빛에 항상 뽀송뽀송하다는 걸
알곤 있지만

가끔은
자신을 잘 가꾸지 못해서
주름이 쭈글쭈글한 친구들도 있긴 해

자신을 가꾸지 않은
그런 친구들은
다른 이의 손길에서 항상 밀려나곤 하지

나는
누구보다도 찜질방에서 지내는 게 좋아

그래야
항상 촉촉하고 따뜻한 피부를
유지할 수 있기 때문이지

누구는
여름에 자신이 인기가 많다고 하는데

나도 뭐
겨울에는 만만치 않은 인기를 얻고 있지

요즘은

조금 나의 미모를 뽐낼 수 있는

자리가 많이 없어지고는 있지만

다시금

겨울에는 나만을 찾게 할 거야

✘ 나는 말이야 호~호~ 호빵이야

(어릴 적 정말 좋아하던 호빵이 그립습니다)

음식 시리즈 ✗ 넷

오늘은
왜 이리 진상 손님들 뿐인지

저 지금
스팀 겁나 많이 올라오고 있어요
잠시 릴랙스 좀 하고요

사실
말이 나와서 그렇지
전국의 수많은 셰프들의
성격도 다르고 입맛도 다 다르잖아요

그게 뭐

제 탓은 아니잖아요

저야
오랜 기간 답답한 땅속에서

온몸을 웅크리고
몇 년을
인격 수양에 헌신한 죄밖에 없는데

짜니 싱거우니 텁텁하니
이건 뭐
저의 출신 성분까지
중국산이 아니냐고 하시는데요
저 한국산 맞거든요

그리고
사실 저 아니면
입맛 없으실 때 어떡하시려고 그러시는지

한국에서

솔직히 저 찾는 분들 아주 많거든요

정 싫으시면
저 찾지 마시고 다른 거 있잖아요
구수한 냄새 죽이는 그 아이요

안 그래도
요즘 중국산 짝퉁 때문에
스트레스 엄청나게 받는데요
짜면 물 붓고
싱거우면 MSG 더 넣고

나중에
없을 때 울고불고 찾지 않으시려면
대우 좀 해주세요
아셨죠

✘ 저 누구냐고요 묵은지 김치찌개입니다
(긴 시간 참고 견뎌내 주는 묵은지에게 감사함을
전하며)

음식 시리즈 ✗다섯

저는
어릴 적에 단 한 번도
이쁘다는 이야기를 들어본 기억이 없습니다

태어날 때부터
조금은 못난이로 태어나긴 했지만

저의 본 모습을 알게 되면
그제야
사랑스러운 눈빛과 호감을 표현하더라고요

어떤 사람들은
제 이름을 다 불러주지도 않거나

우스개 음률로 놀려대곤 하더라고요

사실은
저도 제 외모가 마음에 들진 않았습니다

나중에
부모님이 출생의 비밀을 알려주기 전까지는 말입니다

요즘처럼
성형수술이 대중화되었다면
보톡스 주사라도 맞아서
주름을 많이 펴주려고 했을 겁니다

그래도
아직은 즐거운 술자리에서
절 찾는 분들이 계시니
조금은 덜 섭섭합니다

때로는
혐오스럽다는 이야기도 듣지만

7080세대분들은
저를 한 번쯤은 다 겪으셨을 겁니다

전 지금은
그 누구도 부럽지 않은
미모를 뽐내며
자유로움을 만끽하고 살고 있습니다

저 누군지 아시겠어요?

✘ 저는 주름의 여왕 번데기입니다
(신문지 고깔 모양에 담아주던 그 시절이 그립습니다)

음식 시리즈 ✗ 여섯

저는요
누구보다도 희생정신이 강하다는
칭찬을 많이 듣습니다

물론
세상에 자신을 희생하여
많은 이들을 즐겁게 해주는 것이
저뿐만은 아닐 겁니다

일 년에
저는 단 하루도 쉬어본 적이 없습니다

참여했던 모임들은

손으로 꼽을 수도 없을 정도입니다

부서 회식
친구 모임
송년회와 신년회 모임
가족 모임
동호회 모임 등등

그런데
요즘은 몸값이 너무 올라가고 있어서
조금 죄송한 마음도 있습니다

매번
타는 듯한 고통을 이겨내야 하지만

저로 인해
행복해하는 모습을 볼 때마다
절로 힘이 납니다

가끔

조금 못난 얼굴과 몸매라고
많이들 놀리시는데요

저도 사실
하나하나 뜯어보면 이쁜 얼굴입니다

물론
눈만큼은 현대의학을 빌어서
쌍꺼풀 수술을 해 볼까 하는
고민 중이긴 합니다

제가
누군지 아시겠어요

✘ 저는 이쁜 돼지입니다
(온몸을 하나 버릴 것 없이 바치고 이승을 떠난 수많은
돼지를 추모하며)

음식 시리즈 ✗일곱

얼마 전에
자기가 거의 인기 최고라고
떠들고 다닌 아이가 있다면서요
정말 어이가 없어서

제 성격이
원래 말수가 적고 우직해서 그렇지
솔직히
귀티, 질, 양적으로 따져보아도

어디 비교도 안 되는 아이가
쌍꺼풀 수술만 하면
봐줄 만한 얼굴이라고 했다면서요

저는
아시다시피 타고날 때부터
큰 눈망울과 짙은 쌍꺼풀을 가지고 있거든요

아무리 의학 기술로
얼굴도 고치는 세상이라지만

코도 그래요
그 아이는 타고난 납작코지만

저는
높은 콧대와
시원한 콧방울을 가지고 있는데

세상 물정을
몰라도 너무 모르는 것 같습니다

요즘
값어치가 좀 올라갔다고

기고만장하는 꼴을 보면

하긴
그 아이도
많은 사람과 함께 했던 건 인정합니다

그렇다고 해도
인기로 따지고 몸값을 따져봐도
저한테는 어림도 없죠

국민투표로
대 국민 인기를 한번 물어볼까요?

투표하시면
저한테 하실 거죠
믿어도 되는 거죠

✗ 저는 한국의 정서 한우입니다
(돼지와 함께 우리를 위해 헌신하는 수많은 소를
추모하며)

음식 시리즈 ✗ 여덟

저는
지금까지 수없이 만났었던
그녀들에게
너무도 이기적인 남자였습니다

계절의 색감을 알 수 있도록
꽃단장하고
저를 반겨 주었었던
그녀들

하지만
그녀들에게
수없는 불평불만만을 이야기했을 뿐

따뜻한

말 한마디 해주지 않았었던

나쁜 남자였습니다

오랜 시간

춥기도 하고 뜨겁기도 했던

공간과 시간 속에서

저를 위해

참고 견디어 주었다는 사실을

알지 못한 어리석은 남자였습니다

그녀들이

모두 떠나 버리고

홀로 버려졌던 최근 나의 모습에

비로소 그녀들이

얼마나 소중했던 존재였는지

뼈저리게 느끼게 되었습니다

저의
오랜 기억 속에 각인된
그녀들의 이름을

저는 오늘
크게 외쳐보고 싶습니다

김치찌개, 된장찌개, 해장국, 감자탕
설렁탕, 순댓국, 소 곱창, 돼지 곱창
닭볶음탕, 삼겹살, 소불고기
그리고 수많은 반찬

너무 많았던
그들을 불러주지 못해 미안했습니다

✘ 저는 한국 음식입니다
(오늘도 수많은 밥상 위를 채워주고 있는 한국
음식에 감사함을 전하며)

음식 시리즈. ✗아홉

당신에게
저는 어떤 존재입니까?

당신이
존재함에 감사할 때마다
저는 당신과 항상 함께하였습니다

항상
함께해 주는 저였기에

어느 순간부터
나에 대한
당신의 감사함은 사그라들고 있었습니다

저와 함께
웃고 울고 행복해하며
살아온 인생의
아름다웠던 추억들은 다 잊으셨나요?

왜!
제가 당신의
중요한 시험 기간에 함께하면 안 되는
재수 없는 사이가 되어 버린 건가요?

미끈하고
탱글탱글 탄력 있는 몸매도
윤기 나는 건강한 피부 색조도

당신을 위해선
과감히 불어나는 체중도 감수했던
저를 정말 잊어버리신 건가요?

언젠가는

아름다웠던 그 추억들도

더 이상

함께하지 못할지도 모른다는 슬픔에

저는

스쳐오는 파도와 함께

이리저리 제 몸을 맡겨보렵니다

저를 기억하시나요?

✘ 제 이름은 미역입니다

(엄마의 사랑을 듬뿍 담은 미역국을 추억하며)

음식 시리즈 ✗ 열

세상에는
겉과 속이 다른 사람들이
참 많은 것 같습니다

저도 뭐
이리저리 섞이기 전에는
다를 바 없다고 생각되지만

그래도
저는 오랜 시간
많은 사람의 사랑을 받았습니다

어린아이

어른 할 것 없이
중요한 날에는 저를 찾곤 했지요

요즘은
세상이 너무 빨리 변해 가다 보니

저 말고
다른 이들에게 사랑을 빼앗기기 시작했지만

국적도
불분명한 애들보다야
확실한 국적을 가지고 있는
제가 훨씬 나은 것 아닌가 생각됩니다

한때는
저의 국적을 의심하는 사람들이

저의
출생지를 찾겠다면서
먼 타국까지 가서 확인도 해봤지만

결론은
한국계가 아닌 것 같이 생겼어도

저는 분명
한국의 가장 친한 먹거리

✘ 짜짜짜 짜~자~~장면입니다
(어릴 적 졸업식 때 먹어봤던 그 시절의 짜장면이 그립습
니다)

Part 3 상황 시리즈

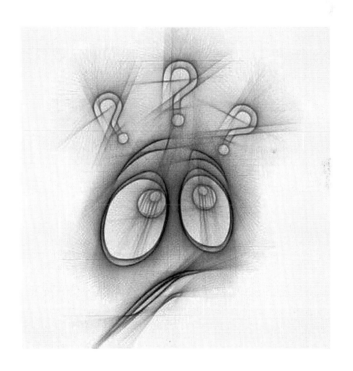

상황 시리즈 ✚하나

우리는
살아가면서 수많은 선택의 갈림길에 섭니다

지하철을 타고 가다
갑자기 배 속에서 천둥과 함께
곧 댐이 무너질 것 같은 압박감에
화장실 앞까지 겨우 찾아서 들어갔는데

모든 화장실이 만석이라면
상상도 하기 싫어집니다

그런데 옆에 있는
남자 또는 여자 화장실이 비어 있다면?

어떤 선택을 하실 건가요?

선택은
여러분 자신의 몫입니다

만약 저라면
폼생폼사

벽 잡고 하체에 최대한 힘을 빼고
팔약근에 모든 힘을 집중한 채

얼굴에는 아무 일 없단 듯이 미소를 살짝 머금고
나오지도 않는 이어폰을 끼고
노래 듣는척하며 기다릴 겁니다

그러다
실수하는 날에는 상상 금물입니다

상황 시리즈 ✚둘

같이 있으면
편하고 즐겁고 행복해지는 이성과
단둘만의
차 안 드라이브를 하고 있습니다

그런데 갑자기
대장 속에서 차오르는 기포의 팽창감

참다 참다
속방 귀로 버텨보려 해 봐도

배 밖으로
소리 없는 아우성에

몸이 꼬이기 시작할 때

어떤 방법으로 위기를 극복하실 건가요?

만약 저라면
차를 갑자기 갓길에 세우며

차가 좀 이상한데
잠시만 내려서 좀 보고 올 거라고 하면서
차와 최대한 멀리 떨어져
차 밑을 보는척하며 해결할 것입니다

물론 향기의 정도에 따라 시간을 두고
완전히 대기 속으로 사라진 후 들어가는
에티켓은 기본입니다

상황 시리즈. ✚셋

길을 걷다
눈앞에 오만 원권 지폐가 놓여 있을 때

주울 것인가
그냥 지나칠 것인가
순간의 고민을 해 본 적이 있으실 겁니다

주위를 살펴보니
다행히 사람들의 시선은
아직 떨어진 지폐를 인지하지 못하였다면
더더욱

나였다면

어떤 선택을 하실 건가요?

혹시 견물생심으로
그냥 주머니에 넣었다가

지폐 뒷면에
이런 황당한 문구가
입구에서 부킹 짱을 찾아주세요
땡땡 나이트

어쩌겠어요
잠시 기분 좋았다는 것만으로도
감사하는 마음으로 살아가는 겁니다

상황 시리즈 ✚넷

여자분들이
홀리듯 뱉어내는 말들을
정확히 해석하여 받아들이기가
남자들은 절대 쉽지 않습니다

예를 들어보겠습니다

쇼핑 하다
저거 내가 입으면 안 어울리겠지?라고 말한다면

이 말 의미는
아마도 내가 입으면 이쁠 거야
그러니

빨리 카드를 꺼내서 사준다고 해라는 뜻일 겁니다

이 시대의 남자들이여
하루하루가 힘드시죠

그래도 어찌하겠습니까

사랑받고 싶다면
똑똑하고 경제력 빵빵하진 못하더라도
눈치는 백단이 되어야 합니다

상황 시리즈. ✚다섯

어느 날 갑자기
모르는 누군가에게서
천만 원이 나의 통장에 계좌이체 되어 있다면

갑자기
심장이 두근두근 요동을 치면서
뇌로는 이런저런 생각에 복잡해지실 겁니다

또한
본인 마음대로 써도 좋다는
글귀가 통장에 찍혀 있다면

더더욱

머릿속은 복잡해지실 겁니다

어디에 사용하실 건가요?

솔직히
그냥 상상만 해도 좋은 것 같습니다

세상에
공짜는 없다는 진리를 알고 있지만

아마도
이런 경우에는
그 누구도 견물생심의 마음에서
자유로워질 수가 없을 겁니다

상황 시리즈 ✚여섯

지금
배우자 또는 곁에 있는 애인이
외모, 성격, 경제력 등이
내가 상상하고 기대했던 이상형에 맞는가요?

만약
바꿀 기회가 주어진다면

단
선택 조건이
바꾸겠다는 사실을
배우자나 애인에게 먼저 알려주고

두 개 방 중에
하나를 선택할 순 있지만
어느 한 개의 방에는
지금의 배우자 또는 애인이 있다면

그래도
과감히 도전해 보시겠습니까?
선택 확률은 50:50

평소에 로또도 안 맞는
꽝 손인 분들이라면
신중할 필요가 있을 겁니다

그래도
50% 확률에 한 번 도전했다가
다시 지금의 아내나 애인을 만나게 된다면

역시 우린 운명이야라고 말하면 됩니다

상황 시리즈 ✚일곱

지하철을 이용하다 보면
별의별 일들이 많이 생기곤 합니다

핸드백이나 백팩 가방이
지하철 문 사이로
이산가족이 되어버리는 경우도 있고

빈자리가 생기는 것을 보고
무심코 엉덩이를 걸치려는 순간
누군가의 무릎에 앉는 경우도 있습니다

만약
졸다 눈을 떴는데

앞에 서 있는 사람의 바지 지퍼가
세상을 구경하고 싶은 마음으로
활짝 열려 내 눈과 마주하고 있다면
어떻게 하시겠습니까?

직접 말을 해 준다
그냥 모른 척하고 있다

서로 민망하지 않고 해결하는 방법은

휴대전화로
바지 지퍼가 내려갔다고
쓴 문자를 보여주고 조용히
다른 칸으로 이동하는 것이 좋을 것 같습니다

상황 시리즈 ✚여덟

어릴 적
꼭 한 번은
이런 질문을 받아 보셨을 겁니다

아빠가 좋아?
엄마가 좋아?

젖병을 떼고
두발로 걸음마 좀 한다 싶었더니
또랑또랑
자신을 쳐다보며 선택해달라고

무언의 압력이 가득한

사랑스러운 눈빛을 받았어야만 했던
아찔한 선택의 순간

누군가 하나를 선택하자니
닥쳐올 두려움에
쉽사리 대답하지 못했던 기억

만약
반대로 아이들이
똘망똘망한 눈으로 쳐다보며

아빠 엄마는
우리 중에서
누가 더 좋아라고 물어본다면

삶이란
나이 불문하고
역지사지의 마음으로 살아가야 합니다

상황 시리즈 ✚아홉

쇼핑 하다
마음에 드는 상품을
저렴하게 구입했다 생각하고
기분 좋게 결재하고 나와 걷고 있는데

바로 옆 상점에
더 저렴하고 좋아 보이는 상품을 보았을 때

취소해야
할까? 말까?
얼굴 팔려 말도 못 해 본 적 있을 겁니다

음식점에서

메뉴를 골라서 시켜놓고 보니
상대방이 시킨 음식이 더 맛나 보일 때

취소하고 다시 주문하고 싶은
내적 갈등을 겪어 보셨을 겁니다

이런 상황에
주문한 음식은 어쩔 수 없고
그렇다고 한입 달라고 하기도 추잡스럽고

오래 건강하게 살고 싶으시다면
하늘 한번 올려다보고
웃으면서 집으로 돌아가면 됩니다

상황 시리즈 ✚열

술기운에 기분 좋다고
옆 지기에게
비상금을 선심 쓴다고 다 주었다가

아침에 일어나자마자
밀려오는 후회에 가슴 아파한 적 있을 겁니다

비굴하지만
조금만 돌려 달라고 하기도 어렵습니다

늦은 밤
택시비를 아껴보겠다고
한참을 기다리다 지쳐

택시를 타는 순간
바로 뒤에 기다렸던 버스가 도착하면
다시 내릴 수도 없고

깊이 생각하지 말자고요
사는 게 다 그렇죠
뭐!
매번 최선의 선택만 할 순 없습니다

인생 답답하게 살려고 하면
머리 아프고 스트레스받게 됩니다

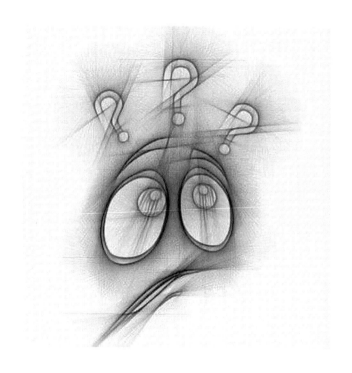

Part 4 선택 시리즈

선택 시리즈 ✘하나

혈액형
정말 성격을 좌우하는 것일까요?

혈액형별 성격
어디까지 맞는 것일까요?

저는
B형 남자입니다

여자들이
제일 싫어한다는 B형 남자
이유가 뭘까 궁금하기도 합니다

만약

혈액형을 선택할 수 있다면

A형 : B형 : AB형 : O형

어떤 혈액형을 선택하실 건가요?

♣ 저의 선택은 ♣
지금의 B형을 선택하겠습니다
같은 B형이라도
분명 조금의 차이는 존재하기 때문입니다

선택 시리즈 ✖둘

인간에게
없어서는 안 될 주요 식량 중
하나인 조류

지금까지는
소나 돼지고기에 비하여
가격이 저렴한 편이라 다행입니다

물론
조류 독감 등의 영향을 받으면서
닭고기, 오리고기 가격이 많이 상승하였습니다

그래도

신속 정확 배달하면 대한민국 아니겠습니까!

따로
외출하지 않고도
가족들이 옹기종기 모여 맛나게 먹을 수 있다는 것

오늘의 저녁 메뉴가 조류 중 하나라면

닭고기 : 오리고기

어떤 것을 선택하실 건가요?

♣ 저의 선택은 ♣
어릴 적 치킨을 정말 좋아했었지만
요즘은 건강을 생각해서
불포화지방이 많은 훈제 오리고기에 한 표를 던집니다

선택 시리즈 ✕셋

서로 다른 이성에게 끌리는 것은
어쩔 수 없는 본능입니다

이성을 사귈 때
무엇을 최우선으로 생각하시나요?

좋아하는 스타일도 제각각
좋아하는 신체 부위도 제각각

얼마나 솔직하신지 한번 여쭤봅니다

잘생기고 몸짱인 완벽한 남자
이쁘고 볼륨감 있는 몸매의 착한 여자

잠시만요

위의 두 조건은 제외하고요

아시잖아요 몇 명 아니, 거의 없어요

외모 : 몸매 또는 몸짱 : 성격 : 경제력

그리고

또 다른 무엇인가 있겠지만

어떤 것을 최우선으로 선택하실 건가요?

♣ 저의 선택은 ♣

꼭

하나만 선택해야 한다면

음

아~ 놔~~

건강한 몸매를 최우선으로 하겠습니다

선택 시리즈 ✕넷

우리들의 삶 속에
너무도 깊숙이 들어와 있는
음주문화

술을 좋아하고 즐기는 사람들도
꽤 많지만

저는
술이 잘 받지 않는 체질이라
즐겨 하지는 않습니다

태양열 뜨거운 한여름이라면

냉기에 서리가 어린 맥주
차갑게 보관된 소주
살얼음 둥둥 떠다니는 막걸리
한국인의 사랑 소맥

그리고
얼음과 레몬으로 어우러진 외국 주류들

소주 : 맥주 : 막걸리 : 소맥 : 양주

어떤 술을 선택하실 건가요?

♣ 저의 선택은 ♣
이왕이면
숙취가 덜 하고 저와 궁합이 좀 더 맞는
도수가 높은 보드카 또는 고량주로 하겠습니다

선택 시리즈 ✖다섯

우리에게
많은 추억과 감성에 젖어 들게 해주는
비와 눈

대부분
따로따로 맞이하게 되지만
가끔은 동시에 우리 곁으로 내리기도 합니다

눈에 보이는 형상은 다르지만
결국은 물로 이루어진 혈육이라는 사실

하늘을 모두 덮고
내리는 비와 눈 중에

어떤 것이 더 감성적인 마음으로 변하게 하나요?

비와 눈
둘 다 좋아하실 수도 있지만

비 : 눈

비와 눈 중에 어떤 것이 더 끌리시나요?

♣ 저의 선택은 ♣
비를 선택하겠습니다
자동차 안에서
차에 부딪히는 빗소리와 케니 지의 색소폰 음악은
환상적인 궁합입니다

선택 시리즈 ✗여섯

눈이 올 때는 그다지 생각나지 않지만
비가 오면 생각난다는
막걸리 한잔

막걸리 한 병을
찌그러진 주전자에 가득 붓고
흔들어 잘 섞은 후
한 사발막걸리를 가득 채워

빗소리를 들으며
막걸리 한 사발 원샷 후

어떤 안주를 선택하여 드실 건가요?

안주로
딱 두 가지
해물파전과 김치전이 있다면

해물파전 : 김치전

어떤 안주를 선택하여 드실 건가요?

♣ 저의 선택은 ♣
비의 양에 따라 조금 달라집니다
부슬비가 내린다면 해물파전
장대비가 퍼붓는다면 김치전
비도 내리지 않는데
막걸리가 당기는 이유는 뭘까요?

선택 시리즈 ✖일곱

밥을 먹을 때도
술 한잔 마실 때도
왠지 개운치 못한 뒤끝

그 무언가를 해결해 주는
바로 그것!
찌개입니다

자글자글 끓어오르는 짭조름한 국물에
밥 한 공기 뚝딱
찌개 문화가 유독 발달한 한민족

돼지목살 직사각형 두부 묵은김치와의 조화

김치찌개

호박 정사각형 두부 맛깔난 된장과의 조화
된장찌개

오늘 점심 메뉴는

김치찌개 : 된장찌개

둘 중 어떤 것으로 선택하여 드실 건가요?

♣ 저의 선택은 ♣
아~ 놔~~
선택 장애가 오려 합니다
하지만 꼭 한 가지 선택을 하라고 한다면
김치찌개로 하겠습니다

선택 시리즈 **×**여덟

7080세대들은
사람의 성격을 알아보려고 할 때
타고난 혈액형을 가지고 이야기를 많이 하였지만

요즘
핫한 MZ 세대들 사이에서는
MBTI라는 새로운 성격 유형 검사로
그들만의 성격을 표현하고 있습니다

관리자형, 분석형, 외교형, 탐험 가형
각각 4가지 유형 조합으로
총 16가지의 성격이 나온다고 합니다

사람의 성격에 대한 궁금증은

인간이 존재하는 한

세대를 불문하고 어떤 방법으로라도 알고 싶은 것 같습니다

I : E   S : N   T : F   J : P

자신의 성격

MBTI로 검사해 보셨나요?

어떤 유형의 MBTI를 선택하고 싶은 건가요?

♣ 저의 선택은 ♣

ENFP와 ENFJ가 번갈아 나오고 있습니다

글쎄요

요즘은 시도 때도 없이 바뀌는 감정 기복이라

무엇을 특별히 선택하고 싶은 마음도 적습니다

선택 시리즈 ✕아홉

짜장과 짬뽕
이 두 가지 음식 사이에서
한때는 많은 고민하기도 하였습니다

하지만
번득이는 아이디어 하나로 한순간에 고민 해결
바로
짬짜면이라는 반반 그릇의 혁명

국민 간식 치킨도 반반
핫한 운동 화 색상도 반반

인간의 욕심 속 한계란

그 무엇도 해결하지 못할 것이 없을 겁니다

그렇다면
또 하나의 이론 대립의 각을 세우고 있는
바로 그 음식 탕수육
부먹 : 찍먹

어떤 방법을 선택하여 드실 건가요?

♣ 저의 선택은 ♣
봄, 여름, 가을에는 찍먹
겨울에는 부먹으로 선택하겠습니다
특별한 이유는 없습니다
단지 저 만의 식성일 뿐입니다

선택 시리즈 ✖ 열

우리는 어릴 적
사랑하는 부모로부터
엄청난 질문에 고뇌와 번민을 느껴야만 했습니다

아마도
살아오면서 한 번 이상은
꼭 들어본 질문이었을 것입니다

하지만
언젠가부터 심리학 전문가들에 의해
특히 어린아이에게
하지 말아야 하는 질문이 되었습니다

기억나시나요?
아니면 본인도 많이 했던 질문인가요?

아빠가 좋아 : 엄마가 좋아

어린아이 시절
어떻게 답을 하셨나요?

만약 지금이라면 어떤 선택을 하실 건가요?

♣ 저의 선택은 ♣
어린 그 시기에
순간적인 상황 판단이 빨라서
부모님의 기분 상태에 따라 대답했던 것 같습니다
지금이라면
저도 아빠 엄마 둘 다 좋아요라고 하겠습니다

Part 5 여자 이해하기 시리즈

여자 이해하기 시리즈 ✤하나

당신의 여인과
외출해야 한다면

그녀의
외출 준비 시간을 알아야 한다

변장 시 : 2시간
분장 시 : 1시간
민낯 : 30분
진짜 생얼 : 10분
자신감 뿜뿜 : 5분

남자들이여

참을 인(忍)을 무한 반복으로 생각하며
기다릴 줄 알아야 한다
짜증은 No!

그리고
갑자기 차 안에 꽃향기가 나네! 라고
말하라

여자 이해하기 시리즈 ✦둘

평일
직장 업무 스트레스가 많았다 해도

여인에게 사랑받기 위해서는

주말에
외식하러 갈까?
No! No!

외식하러 가게 외출 준비해!
Yes! Yes!

남자들이여

덤으로
맛집 사전 검색 및 예약은 필수!

그리고
김 기사~ 운전해~~

여자 이해하기 시리즈 ✛셋

갑자기
당신의 여인에게서

자기야
나 뭐 바뀐 거 없어? 라는 질문을 받는다면

당황은 No!
머리 눈 귀 입술 목 손과 발
빠른 스캔 Yes!

그리고
침착하게 호흡 한번 하고
하나를 찍어라!

남자들이여
살아가려면 눈치라도 빨라야 한다

그리고
당신의 선택에 대한 뒷일은 복불복!

여자 이해하기 시리즈 ✤넷

당신의 여인이 갑자기

자기야!
나한테 뭐 잘못한 거 없어? 라는
툭 던진 질문에

쫄지 말라!
당황하지 말라!
단순해져라!

무조건 아무 잘못한 것이 없는 거다

무조건!

남자들이여
여자라는 여인도
결국 남자 하기 나름 O.K!

그리고
머리 굴리지 말고
눈동자 불안하게 떨지 말라

여자 이해하기 시리즈 ✦다섯

당신의 여인과
좋은 시간을 보내고 있다가도

갑자기
뜬금없이 그녀가 나를 보며

콧소리가 잔뜩 들어간 목소리로
이렇게 물어본다면

자기 앙~
나 살쪄 보여용?

드디어 올 것이 왔다!

짧은 순간
생명의 위협을 느꼈을 것!

남자들이여
무조건 No! 목에 칼이 들어와도 No!

그리고
가끔은 진실을 받아들이지 않는 삶이
생명을 연장할 수 있다

여자 이해하기 시리즈 ✤여섯

당신의 여인이 첫사랑이 아닐지라도

반드시 꼭!

기억해야만 하는 중요한 날의
기억 유효기간

첫 키스 장소
약 5년 (절대 헛갈리지 말 것)

결혼기념일
약 10년 (휴대전화 알람 설정 필수)

그녀 생일
유효기간 없음 (늙어서도 밥이라도 뜨고 싶다면)

남자들이여
믿거나! 말거나!
Believe it or Not!

그리고
덤으로 여인의 부모님 생신일
더 잘하면 많은 것을 용서받을 수 있다

여자 이해하기 시리즈 ✚일곱

많은 대중 매체를 통해서
여인들이
감동하는 것은
큰 선물이 아닌
사소한 것에 감동한다고 들었다면

정말!
Really?

1980년대 종이학 1,000마리 Yes!
2000년대 명품 가방 Yes!
2020년대 오롯이 현금 O.K!

남자들이여
당신의 여인은
그나마 당신이 제일 잘 알고 있다는 사실!

그리고
나이 불문 성별 불문 뭐니 뭐니 해도
Money가 최고!

여자 이해하기 시리즈 ✤여덟

남자나 여자나
키에 대한 콤플렉스는 같은 마음일 것이다

여자의
마지막 자존심은
아마도 하이힐!
7cm 10cm 13cm 등

날씬한 몸매
중력을 거스르는 hip up을 위해
어디까지 참고 버틸 수 있을 것인가!

여인에게 불가능은 없다!

남자들이여
당신의 여인을 만날 때 반드시 확인하라
그녀가 무엇을 신고 나왔는지!

그리고
맛집을 가더라도 신발을 벗지 않는
바로 그곳으로 Go!

여자 이해하기 시리즈 ✦아홉

당신의 여인과
맛집을 가려 할 때
선물을 고르고자 할 때

그녀의 입에서 들었던
여자가 말하는
아무거나 의미를 정확히 알아야 한다

음식은
그녀가 제일 좋아하는 것!
선물은
그녀가 받아서 미소가 절로 생기는 것!

남자들이여
남자로 살아가야 한다는 것
절대 만만하지 않다!

그리고
남자에게 필요한 물건을 살 때
아무거나 의미는
그것은 말 그대로 아무거나 사라는 말이다

여자 이해하기 시리즈 ✤열

한참 젊고
사랑의 늪에서 헤어 나오지 못했을 때

여인의 샤워 소리는
남자의 가슴을 뛰게 하였을 것이다

신혼 초
말 안 해도 부끄부끄 알잖아요
삼십 대
아직은 가슴이 뛰니 좋겠지요

사십 대
가슴이 뛰다 말다 하니 그래도 뭐

오십 대
그냥 더워서 아마도 맞죠?

남자들이여
샤워 소리가 무서워 자는 척 그럴 수 있다!
어깨 펴고 당당하게 OK!

그리고
사랑이란 감정은 나이가 중요한 것이 아니라
가슴으로 그냥 팍!
Feeling!

하랑(harang)

오래전 문득
마음속에서 일렁이던 사소한 감정을
기억 속에 남겨 두고파

삶을 겪으며 성숙해 지던
순간순간을
밖으로 끌어 오르는 감정을 억누르듯 적어 내려갔었다

나의 감정이 커옴을
그대로 느낄 수 있는 낙서를 되뇌며

나와 함께하는 세상을 표현하다 보니
어느새
많은 글들이 모여 있었다

나는
이렇게 속으로 되뇐다

그냥
나의 인생사를 표현할 뿐이라고

www.facebook.com/kimarisu69
www.instagram.com/harangdream
kimarisu@naver.com

하랑(harang)
김 영 식
서울 출생 (1969.12.24 양력)